Rás go dtí an Pol

Gare Thompson

Clár

Antartaice

Is scéal é seo faoin rás idir Roald Amundsen agus Robert Scott. Bhí siad ag iarraidh an Pol Theas a shroicheadh den chéad uair roimh aon duine eile. Chun seo a dhéanamh, bhí orthu cuid mhór dainséar a shárú.

Tá an Pol Theas i lár Antartaice. Is í an áit is fuaire agus is gaofaire ar domhan í an **ilchríoch** seo, agus tá sí clúdaithe le sneachta. Sa gheimhreadh titeann an teocht in amanna níos ísle ná -85°C. Is féidir leis na gaotha seaca géara tú a leagan. Tá **cnoic oighir** ar snámh san fharraige. Is piosaí ollmhóra oighir iad seo. Is féidir leo longa a scriosadh.

Níor lig Amundsen agus Scott do na dainséir seo cosc a chur leo. Bhí an bheirt acu ullmhaithe don rás trasna 2,400 ciliméadar de thalamh seaca go dtí an Pol Theas. Cé acu a bhuafadh?

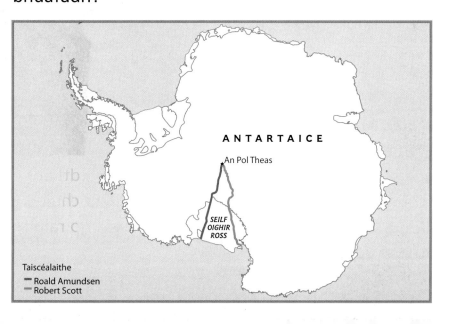

ANTARTAICE

An Pol Theas

SEILF OIGHIR ROSS

Taiscéalaithe
— Roald Amundsen
— Robert Scott

Na Taiscéalaithe

Roald Amundsen

Rugadh Roald Amundsen sa bhliain 1872 in Oslo san Iorua. Ba de theaghlach mairnéalach é. Ag 22 bliain d'aois chuir sé tús lena shaol eachtrach ar an bhfarraige. D'éirigh sé ina thaiscéalaí **polach** ceart. Rinne sé taiscéaladh ar na huiscí seaca i bhfad ó thuaidh ó Cheanada. Ar a thurais farraige d'fhoghlaim sé cuid mhór faoin saol san Artach. Chonaic sé na héadaí a chaith na daoine dúchasacha agus an bia a d'ith siad chun an fíorfhuacht a sheasamh. Chonaic sé conas a d'úsáid siad cairr shleamhnáin madraí chun taisteal.

Sa bhliain 1910 bhí Amundsen ag dul chuig an bPol Thuaidh ar a long darbh ainm an *Fram* nuair a fuair sé amach gur shroich beirt taiscéalaithe an Pol Thuaidh cheana sa bhliain 1909. Mar sin, bheartaigh sé seoladh go dtí an Pol Theas. Bhí a fhios aige go raibh Scott ag réiteach le seoladh go dtí an Pol Theas chomh maith. Chuir Amundsen **teileagram** chuige ag insint dó gur athraigh sé a chuid pleananna agus go raibh sé ar a bhealach go dtí an Pol Theas.

Robert Scott

Rugadh Robert Scott in Plymouth i Sasana sa bhliain 1868. Bhí sé ag iarraidh dul ar an bhfarraige óna óige. Chuaigh sé isteach i g**Cabhlach na Breataine** nuair a bhí sé 14 bliana d'aois. Fuair sé oiliúint mar eolaí. Mar oifigeach, bhí sé i gceannas ar roinnt turais fionnachtana. Bhí codanna d'Antartaice feicthe aige cheana. Chaith sé dhá

gheimhreadh fhada in Antartaice ar thuras eile. Ar an turas sin, tháinig Scott agus a fhoireann níos cóngaraí don Phol Theas ná mar a tháinig aon duine go dtí sin.

Anois bhí Scott ag iarraidh dul ar ais go dtí Antartaice. Ba mhian leis an Pol Theas a shroicheadh roimh aon duine eile.

Bhí Scott réidh le himeacht ón Nua-Shéalainn nuair a fuair sé teileagram Amundsen. Chuir seo alltacht air. Bhí dúil aige nach ndéanfadh aon duine eile an Pol Theas a bhaint amach roimhe. Bheartaigh Scott go leanfadh sé ar aghaidh lena phlean. Ní ligfeadh sé d'Amundsen é a bhogadh. Bhí tús curtha leis an rás.

Siúd ar Siúl Leo!

Tagann Amundsen i dTalamh in Antartaice

Ar dtús, níor inis Amundsen dá fhoireann faoi na hathruithe ar na pleananna. Shíl an criú ar bord an *Fram* go raibh siad ag dul go dtí an Pol Thuaidh. Ar an 9 Meán Fómhair 1910, stad Amundsen chun lón nua a fháil don turas go dtí Antartaice. Bhí uisce agus bia úr ag an gcriú anois le haghaidh an rása. Bhí 97 carr sleamhnáin madra acu chomh maith. Bhí siad le fáil amach gurbh iad na madraí na rudaí ba thábhachtaí a thug Amundsen leis ar a thuras.

Thaisteal Amundsen agus a fhoireann go hAntartaic ar an *Fram*.

Faoi dheireadh, chuir Amundsen ceist ar an gcriú ar mhian leo dul leis go hAntartaice. Ba mhian, agus lean an long uirthi. Shroich siad **Oighearchlár** Ross ar 14 Eanáir 1911, agus bhunaigh siad **bonnchampa**. D'fhan siad ansin ar feadh naoi mí.

Bhí Amundsen eagraithe. Bhí an turas uile leagtha amach aige. Thar na chéad trí seachtaine eile, bhog an fhoireann tonnaí bia ón long go dtí an campa. Leag na fir bia amach ar an mbealach go dtí an Pol Theas chomh maith.

Fad is a bhí siad ag fanacht leis an Earrach agus aimsir níos fearr, d'ullmhaigh Amundsen agus a chuid fear don turas. Rinne siad sciáil agus thraenáil siad na madraí. Bhí a fhios acu go mbeadh ualaí troma le tarraingt ag na madraí. Thriail siad bealaí chun na hualaí a laghdú. Bheadh na madraí ábalta dul níos gasta ansin.

Chinntigh Amundsen gur ith na fir go maith. Bhí sé tábhachtach go mbeidís folláin agus láidir. Níor chuir sé a chuid fear amach leis an gceantar a thaiscéaladh. Níor mhian leis go ngortófaí iad nó go rachaidís ar strae. Ní dheachaigh sé sa seans in aon chor.

Tagann Scott i dTalamh in Antartaice

D'fhág Scott Nua-Shéalainn ar a long, an *Terra Nova*. Bhuail stoirm gharbh an long ar an turas go dtí Antartaice. Chaill siad roinnt den **lasta**, ach lean Scott leis. Tháinig sé i dtír ag Caolas McMurdo ar 3 Eanáir 1911, agus bhunaigh sé campa ar Oighearchlár Ross. Ní raibh campa Scott chomh cóngarach don Phol Theas agus a bhí campa Amundsen. Bhí campa Scott ar an taobh eile den oighearchlár.

Tháinig Scott i dtír lena chriú, le pónaithe, le madraí agus le carranna sleamhnáin mótair. D'úsáid na fir na carranna seo chun an bia agus an lón a iompar go dtí an bonnchampa. Chonaic siad sampla den dainséar a bhí rompu nuair a thit ceann de na carranna sleamhnáin mótair tríd an oighear agus chuaigh go tóin farraige.

Faoi dheireadh coicíse bhí bothán tógtha ag na fir. Bhí áit acu chun codladh agus chun ithe. Thosaigh Scott ag leagan bia amach ar an mbealach a thógfaidís go dtí an Pol Theas. D'úsáid siad na pónaithe agus na madraí chun an bia a tharraingt. Níor oibrigh na carranna sleamhnáin mótair ar an oighir agus ar an sneachta. D'éirigh na pónaithe tuirseach go gasta agus bhí sé deacair smacht a choinneáil orthu. Ní raibh a fhios ag criú Scott an dóigh leis na madraí a láimhseáil, ach bhí a fhios ag fir Amundsen.

Rinne Scott agus a chuid fear an ceantar a thaiscéaladh. Ag amanna, tháinig na fir ar ais go dtí an campa agus iad tuirseach, dóite ag an sioc, agus fuar. Go minic bhí na madraí ag troid lena chéile toisc go raibh tuirse agus ocras orthu.

D'úsáid Robert Scott pónaithe chun lón a iompar.

An Rás

Ar Aghaidh le hAmundsen

Thosaigh Amundsen ag tarraingt ar an bPol Theas ar 20 Deireadh Fómhair 1911. Lá glé álainn a bhí ann. Bhí an spéir glan. Bhí fuacht san aer ach bhí na fir gléasta go maith faoina choinne. D'fhág Amundsen agus a chriú de cheathrar agus iad go dóchasach. Thug siad ceithre charr sleamhnáin leo, iad lán de lón bia. Tharraing dhá mhadra dhéag gach carr sleamhnáin. Bhí na madraí oilte go maith ag na fir. D'éist siad le horduithe na bhfear.

Níor chuir na fir am ar bith amú. Ar a gcéad stop, tháinig na fir ar an lón a bhí leagtha amach acu ar an mbealach. Thug siad **blonag**, nó geir mhíl mhóir, agus feoil róin do na madraí le hithe. D'ith na madraí a bhféasta go hocrach ag cosa na bhfear. D'ith na fir a mbéile agus chuaigh siad a chodladh.

Go luath an lá arna mhárach, d'fhág na fir ar scíonna. Tharraing na madraí na carranna sleamhnáin. Thaistil na fir thart ar 20 ciliméadar sa lá. Thóg sé thart ar cúig uair an chloig orthu an méid sin a thaisteal. Ansin stop siad.

Thóg siad carn beag cloch. Taobh istigh den charn chuir siad cuntas faoin fhad agus faoin treo go dtí an chéad cheann eile. Mharcáil na cairn seo an bealach. I ndiaidh dóibh an carn a thógáil, d'ith siad agus ghlac siad sos go dtí an chéad lá eile.

D'imigh Amundsen agus a chriú ag tarraingt ar an bPol agus bhí madraí ag tarraingt na gcarranna sleamhnáin.

Ag Druidim leis an bPol

Ar 11 Samhain chonaic siad sléibhte. Thug Amundsen an t-ainm Raon Bhanríon Maud ar na sléibhte i ndiaidh Bhanríon na hIorua. An oíche sin, champáil siad ag bun na sléibhte. Bhí 547 ciliméadar le dul acu go fóill.

Thosaigh na fir agus na madraí ag dreapadh ar 18 Samhain. Ceithre lá ina dhiaidh sin, bhí siad ag an mbarr. Thosaigh síobadh géar sneachta ansin agus sháinnigh sé iad ar feadh ceithre lá. Ach ní thiocfadh leis na fir am a chur amú. Mhair gaoth láidir agus ceo deich lá eile. **Streachail** na fir agus na madraí is láidre ina n-éadan. Throid siad a mbealach thar oighear tanaí a chlúdaigh poill dhoimhne. Lean siad leo.

Faoi dheireadh, ar 8 Nollaig, shoilsigh an ghrian. Bhí na fir níos lú ná 160 ciliméadar ón bPol Theas. Bhí ocras agus tuirse ar na madraí. Dhóigh an sioc na fir agus bhí siad i bpian. Bhí a n-aghaidh agus a lámha beagnach reoite. Ach lean siad ar aghaidh. Bhí imní ar Amundsen go raibh an bua ag Scott cheana féin.

An Bhratach á Cur Síos

Ar 14 Nollaig, líon an t-aer le scairt – "Stad!". Bhí a sprioc bainte amach ag Amundsen agus a fhir. Chuir gach fear acu lámh ar bhratach na hIorua. Chuir siad sa talamh í le chéile. Thug Amundsen an t-ainm Ardchlár Rí Haakon VII ar an áit i ndiaidh Rí na hIorua.

Chuir na fir suas puball. Ghlac siad grianghraif agus rinne siad an ceantar a thaiscéaladh. Bhí féasta d'fheoil róin acu mar cheiliúradh. Thug duine amháin de na fir todóga amach. Taobh istigh den phuball d'fhág siad litir do Rí na hIorua agus teachtaireacht do Scott. Bhí an rás buaite ag Amundsen!

Chuir Amundsen agus a chuid fear bratach na hIorua ag an bPol Theas.

13

Cuireann Scott Tús lena Thuras

Thosaigh Scott ag dul chuig an bPol Theas ar 1 Samhain 1911. Thaistil sé le foireann de 10 bhfear, 10 bpónaí, 23 madra agus 12 charr sleamhnáin mótair. Bhí an-dóchas ag Scott go bhfaigheadh sé an bua ar Amundsen.

Bhí fadhbanna ann beagnach ón tús. Bhí an aimsir go holc. Ní raibh na héadaí cearta ag na fir. D'éirigh roinnt acu tinn.

Bhí na carranna sleamhnáin mótair gan mhaith. Mar an gcéanna leis na pónaithe. Chuaigh na pónaithe síos go domhain sa sneachta agus ghortaigh an fuacht iad. Ach bhí rud amháin ar intinn Scott: ba mhian leis an Pol theas a bhaint amach.

Ar dtús báire, bhí ar Scott Oighearchlár Ross a thrasnú. Mháirseáil Scott agus a chuid fear ann. Bhí scíonna ag roinnt acu, ach níor chabhraigh siad leo. Ní raibh fir Scott cleachta le sciáil.

Throid na fir in éadan sneachta gan stad. Níor éirigh an teocht níos airde ná -32°C. Thóg sé 15 lá orthu an chéad stop a shroicheadh, áit a raibh bia ar stór acu.

Threoraigh Scott na fir go dtí an chéad stop eile. Ar 5 Nollaig, mhúscail síobadh fíochmhar sneachta na fir. Bhí orthu fanacht san áit ina raibh siad ar feadh ceithre lá. Bhí a gcuid málaí codlata fliuch. Bhí tuirse agus tinneas ar na fir. Ar an gcúigiú lá, bhog na fir leo. Dhá lá ina dhiaidh sin, bhí Oighearchlár Ross trasnaithe acu.

Chuir Scott na madraí agus roinnt de na fir ar ais go dtí an bonnchampa. Anois bhí ar na fir eile na carranna sleamhnáin troma a tharraingt. Chuaigh na fir síos sa sneachta go dtí a gcuid glúine. Bhí a gcuid lámh sioctha. Ach streachail siad leo.

Threoraigh Scott a fhoireann trasna an oighir go dtí an Pol Theas.

An Barr a Shroicheadh

Faoi dheireadh, ar 20 Nollaig, shroich na fir barr an **oighearshrutha**. Chuir Scott roinnt dá chuid fear ar ais go dtí an campa. Thug sé ceathrar fear leis go dtí an Pol. D'éirigh na fir níos laige. Bhí siad ag troid le dó seaca, gaotha géara agus talamh garbh gach lá. Rinne siad an Nollaig a cheiliúradh le béile seacláide, brioscaí, feola agus milseán.

Faoi 6 Eanáir, bhí na fir i bhfad ó theas. Ní fhaca siad tásc ná tuairisc ar Amundsen. Bhí siad dóchasach go raibh siad ag fáil an bhua air. Bhí na chéad laethanta eile an-deacair. Thosaigh **síobadh sneachta** eile. Bhí sé níos deacra na carranna sleamhnáin a tharraingt anois. Bhí a fhios ag Scott go raibh a chuid fear an-tuirseach, ach lean sé air.

Ar 16 Eanáir, bhí Scott agus a chuid fear an-chóngarach don Phol. Shíl siad go mb'fhéidir go mbainfeadh siad é amach an lá arna mhárach. Ach go tobann, chonaic duine d'fhir Scott rud dubh. Cad a bhí ann? Choinnigh na fir ag siúl. Ansin chonaic siad seanchampa Amundsen. Ba é seo an imní is mó a bhí orthu. Bhí an Pol bainte amach ag Amundsen ar dtús. Ba é a bhratach an rud dubh.

Sa deireadh, ar 17 Eanáir 1912, shroich Scott agus a chuid fear an Pol Theas. Bhí puball Amundsen ann agus bhí nóta istigh. D'iarr Amundsen ar Scott litir a chur chuig Rí na hIorua ar eagla nár éirigh leis an mbaile a bhaint amach. Dúirt Amundsen le Scott úsáid a bhaint as aon rud a d'fhág sé féin agus a chuid fear ina ndiaidh.

Fuair Scott agus a fhoireann puball
Amundsen ag an bPol Theas.

Bhí díomá ar Scott agus a fhoireann.
Ar 19 Eanáir, thosaigh siad ar an turas ar ais
chuig an mbonnchampa.

An Turas Ar Ais

Turas Sábháilte Amundsen

Bhí bród ar Amundsen agus ar a chuid fear agus iad ar a mbealach abhaile. D'fhág siad trí lá i ndiaidh dóibh an bhratach a chur. Lá geal grianmhar a bhí ann. Bhí an aimsir go maith agus bhí an t-ádh go léir ar Amundsen. Bhí Amundsen ag iarraidh filleadh chomh gasta agus ab fhéidir. Bhí sé ag iarraidh insint don domhan gur bhain sé an Pol Theas amach ar dtús.

Chuaigh sé féin agus a chuid fear ar ais go gasta. Stop siad le haghaidh bia ag na cairn a thóg siad ar a mbealach go dtí an Pol. Don chuid is mó den turas ar ais, bhí an aimsir go maith. Bhí sé fuar, ach ní raibh aon síobadh sneachta nó stoirm ann.

Thóg sé 39 lá ar an bhfoireann an campa a shroicheadh. Bhí gach fear den chúigear folláin agus sásta. Thug Amundsen an long ar ais go dtí an Tasmáin. Thóg an turas mí. Nuair a tháinig siad i dtír, chuir Amundsen teileagraf chuig a dheartháir láithreach. Anois bhí a fhios ag an domhan gurbh é Amundsen an chéad duine chun an Pol Theas a shroicheadh. Dúirt an New York Times "anois tá an domhan go hiomlán taiscéalaithe".

Bronnadh bonn óir ar Amundsen as a bheith
ar an gcéad duine chun an Pol Theas a bhaint
amach.

Turas Deireanach Scott

Bhí Scott agus a chuid fear tuirseach agus fuar. Ní raibh mórán bia fágtha acu agus bhí turas fada rompu. Ní raibh Scott cinnte an dtiocfadh leo an campa a bhaint amach. Bhí súil aige go mbeadh an aimsir go maith.

Rinne an easpa bia dochar do na fir. D'éirigh siad níos laige agus níos laige arís. Thit fear amháin, darbh ainm Edgar Evans, ar oighearshruth. Ghortaigh sé a chloigeann. Rinne sé iarracht leanúint ar aghaidh, ach ní thiocfadh leis. Bhí a chuid lámha dóite leis an sioc. Ní thiocfadh leis a charr sleamhnáin a tharraingt. Fuair sé bás ina phuball.

Anois ní raibh ann ach ceathrar fear. Streachail siad leo. Shiúil na fir níos lú agus níos lú arís gach lá. Rinne siad iarracht níos lú a ithe, ach bhí a neart de dhíth orthu. Bhí an aimsir ina n-éadan. Bhuail stoirmeacha iad. Thit an teocht i bhfad níos ísle ná an reophointe, fiú amháin i rith an lae.

Chrágáil Scott agus na fir leo. D'éirigh siad níos laige gach lá. Bhí bia de dhíth orthu. Ar 21 Márta 1912, ní raibh siad ach 18 gciliméadar ó stad bia. Shábhálfadh sé a saoil. Ach ansin tháinig síobadh sneachta. Mhair sé naoi lá. Ní thiocfadh leis na fir bogadh. Fuair siad bás ina bpuball.

Ocht mí ina dhiaidh sin tháinig buíon tarrthála ar na fir. Tháinig siad ar dhialann Scott chomh maith. Insíonn an dialann faoin turas truamhéalach a rinne siad.

N MEMORY OF THE
ANTARCTIC HEROES,
THE LATE CAPTAIN SCOTT
AND HIS GALLANT COMRADES,
WHO PERISHED
MARCH, 1912,
AT THE
SOUTH POLE.

Antartaice Inniu

Inniu, tá **eolaithe** ó gach cuid den domhan ina gcónaí agus ag obair in Antartaice. Tá **stáisiúin** mhóra bunaithe acu, atá cosúil le bailte beaga. Tá pictiúrlanna, bainc agus ospidéil sna stáisiúin seo.

Déanann na heolaithe staidéar ar an aimsir. Féachann siad ar na hainmhithe san fharraige. Coimheádann siad an t-oighear agus feiceann siad na hathruithe a thagann air. Iompraíonn héileacaptair lón bia chuig na heolaithe a chónaíonn ansin.

Tugann turasóirí cuairt ar Antartaice chomh maith. Téann siad ann chun an saol a fheiceáil ar an ilchríoch reoite. Bheadh Amundsen agus Scott bródúil go bhfuil suim ag a lán daoine san áit go fóill.

Cé gur talamh reoite í Antartaice, cónaíonn cuid mhór ainmhithe san fharraige thart uirthi.

Blonag *(Blubber)* — Geir mhíl mhóir

Bonnchampa *(Base camp)* — Ceanncheathrú nó pointe tosaigh turais

Cabhlach na Breataine *(British Navy)* — Brainse d'airm na Breataine a bhaineann le longa agus mairnéalaigh

Cnoc Oighir *(Iceberg)* — Píosa ollmhór oighir ag snámh san fharraige

Eolaithe *(Scientists)* — Daoine a oibríonn i réimse éigin eolaíochta

Ilchríoch *(Continent)* — Ceann amháin de sheacht limistéar mhóra talún ar domhan

Lasta *(Cargo)* — Ualach earraí nó lón

Polach *(Polar)* — Ag baint leis an bPol Thuaidh nó leis an bPol Theas

Oighearchlár *(Ice Shelf)* — Leac oighir ag gobadh amach san uisce sa dóigh is go mbíonn a dheireadh ar snámh

Oighearshruth *(Glacier)* — Píosa ollmhór oighir a bhogann go han-mhall síos sliabh nó trasna talún

Rón *(Seal)* — Ainmhí a chónaíonn san uisce, le craiceann atá cosúil le rubar

Síobadh sneachta *(Blizzard)* — Stoirm sneachta dalltach le gaotha láidre

Stáisiún *(Station)* — Áit a mbunaíonn grúpa le haidhm faoi leith, mar shampla chun staidéar a dhéanamh ar an aimsir

Streachail *(Struggle)* — Iarracht mhór a dhéanamh le dul ar aghaidh

Taiscéalaí *(Explorer)* — Duine a théann go háiteanna ar domhan nach ndeachaigh aon duine ann riamh roimhe

Teileagram *(Telegram)* — Teachtaireacht a sheoltar trí chóras siombailí leictreacha a úsáid

Innéacs